图书在版编目(CIP)数据

再见! / 〔比〕让娜·阿什比著绘;谢逢蓓译. -- 武汉 : 长江少年儿童出版社, 2016.8
(0-3岁行为习惯教养绘本)
ISBN 978-7-5560-5014-7

I. ①再… II. ①让… ②谢… III. ①儿童文学—图画故事—比利时—现代 IV. ①I564.85

中国版本图书馆CIP数据核字(2016)第169636号

再见!

〔比〕让娜·阿什比 / 著绘   谢逢蓓 / 译
策划编辑 / 何桑笛
责任编辑 / 傅一新   佟 一   黄燕京
装帧设计 / 胡馨予   美术编辑 / 胡馨予
出版发行 / 长江少年儿童出版社
经销 / 全国新华书店
印刷 / 深圳当纳利印刷有限公司
开本 / 889×1194   1/24   1.5印张
版次 / 2019年7月第1版第17次印刷
书号 / ISBN 978-7-5560-5014-7
定价 / 16.80元

Au revoir !

Text and illustrations by Jeanne Ashbé

© 1998, l'école des loisirs, Paris

Simplified Chinese edition arranged through Dakai Agency Limited

Simplified Chinese translation copyright © 2016 by Love Reading
Information Consultancy (Shenzhen) Co., Ltd.

策划 / 心喜阅信息咨询(深圳)有限公司   咨询热线 / 0755-82705599   销售热线 / 027-87396822   http://www.lovereadingbooks.com

0-3岁行为习惯教养绘本

再见！

〔比〕让娜·阿什比 / 著绘　谢逢蓓 / 译

长江出版传媒　长江少年儿童出版社

今天，
我去小朋友家里玩。

要回家的时候，
我说："再见，再见啦！
下次你来我家玩！"

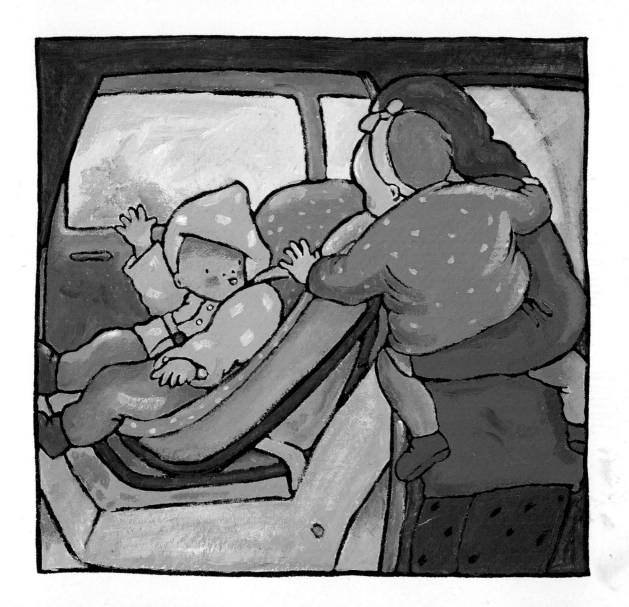

早上，
爸爸送我去托儿所。

爸爸要上班的时候，
我说："再见，爸爸！
我会乖乖的。"

动物园里真有趣，
好想一直待在这里。

爸爸却说:
"我们要走啦,
和长颈鹿说再见吧!
我们还会来的。"

妈妈送我去奶奶家，
妈妈说："小宝宝别哭啦，
奶奶家也很好玩。"

轰隆隆,
火车要开了,
我说:"再见啦,妈妈!"

外公出门前，
抱我在怀里，
哎呦，哎呦，
胡子好扎人。

妈妈抱我去窗口,
我说:"再见,外公!"

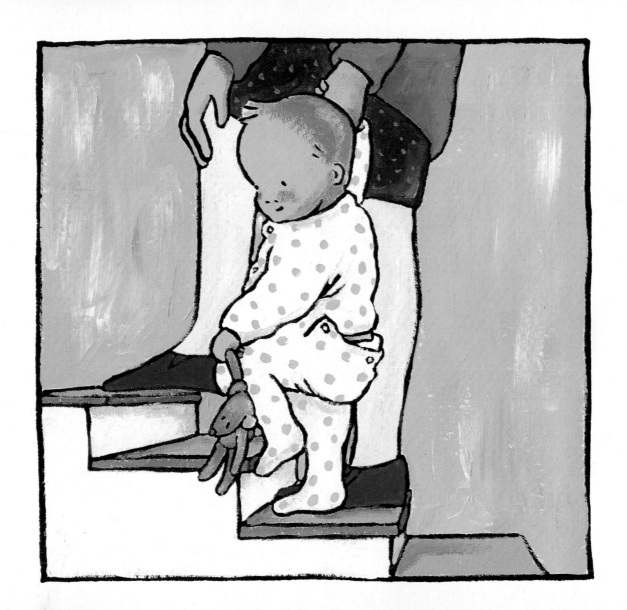

现在，
天黑了，
要睡觉喽。

我和大家说：

"再见吧，明天见！"